P9-EDB-123

concepción gráfica
y diseño de la colección:
Claret Serrahima

Primera edición: marzo del 2000

Caligrafía china: Yve Yang
Maquetación: Montserrat Estévez
Producción: Francesc Villaubí

© **Josep Albanell**, 1999, por la adaptación
© **Pau Estrada**, 1999, por las ilustraciones
© **La Galera, SA Editorial**, 1999, por esta edición en lengua castellana

Edición: Xavier Carrasco
Coordinación editorial: Laura Espot
Dirección editorial: Xavier Blanch

La Galera, SA Editorial
Diputació, 250 – 08007 Barcelona
www.enciclopedia-catalana.com
lagalera@grec.com
Impreso por Egedsa
Roís de Corella, 16 – 08205 Sabadell

Depósito Legal: B. 8.814-2000
Impreso en la UE
ISBN 84-246-1983-8

laGalera **4** popular

El mejor novio del mundo

adaptación de Joles Sennell

versión castellana de José A. Pastor Cañada

ilustraciones de Pau Estrada

Había una vez una pareja de ratas
que vivía en una madriguera
abierta al pie de la Gran Muralla china.

Tenía esta pareja una hija tan preciosa
que decidieron casarla
con el mejor novio del mundo.

Los padres pidieron consejo
a un viejo y sabio ratón que por allí vivía.
　🐀 El mejor marido para vuestra hija
—dijo el ratón—,
es el sol, ya que desde lo alto del cielo
todo lo ve y todo lo ilumina con sus rayos.
Él es quien a todo da vida con su calor.
¡El sol es el más poderoso de toda la creación!

Sin pensarlo dos veces,
los padres de la ratita
se fueron a ver al sol
para ofrecerles la mano de su hija.

P ero el sol les dijo:

⚙ Os agradezco mucho que hayáis pensado en mí
como marido de la ratita,
pero yo no soy el más poderoso
de toda la creación:
cuando una nube me tapa,
nada veo y nada pueden mis rayos.
Id a ver a la nube.

La pareja de ratas
se dirigió a casa de la nube
y le ofreció la mano de su hija.
Y la nube les dijo:
  ❀ Me siento muy honrada
con vuestro ofrecimiento,
pero yo no soy la más importante de la creación.
Cierto es que de vez en cuando tapo al sol,
pero yo no me pongo
porque quiero delante de él:
es el viento que me lleva a empujones.
El viento me lleva donde quiere
y cuando quiere.
Él es mucho más poderoso que yo.
¡Id en busca del viento!

Y se fueron en su busca.
Pero tampoco el viento
aceptó a la ratita por esposa.
≋ Yo no soy el más poderoso de la creación.
Hay algo que es más fuerte que yo
y contra lo cual nada pueden
ni mi fuerza ni mi empuje:
es la Gran Muralla china.
Siempre me estrello contra sus muros
y jamás he logrado moverla
el canto de un duro.
¡Id a visitar a la muralla!

Y se fueron a visitar a la Gran Muralla.

La muralla les escuchó muy complaciente
y al final les dijo:

— Con mucho gusto
tomaría a vuestra hija por esposa,
pero resulta que todavía hay un ser
más poderoso que yo.
Lo que no puede hacer el viento
con toda su fuerza y empuje,
lo puede un ser diminuto
que cada día, roe que te roe,
me va destruyendo los cimientos.
Un día llegará que me hundirá
el trabajo constante de ese personajillo.

Los padres de la ratita preguntaron curiosos:
—¿Y quién es ese ser tan poderoso?
—¡Vosotros! Las ratas y los ratones
que vivís dentro de mis pies
y que cada día
hacéis más grandes vuestras madrigueras.
¡Cualquiera de vosotros
es más poderoso que yo!
—respondió la muralla.

Y así fue como aquella pareja de ratas
que tenía por hija
la rata más preciosa que jamás se haya visto,
la casaron con un ratón vecino
que, por añadidura, hacía mucho tiempo
que estaba enamorado de ella.